W9-CDA-219

Charlotte Zolotow

Cette Belle Dame

Illustrations de
Anita Lobel

kaléidoscope

Traduit de l'américain par Catherine Deloraine

Titre de l'ouvrage original : THIS QUIET LADY
Editeur original : Greenwillow Books,
a division of William Morrow & Company

Loi n° 49.956 du 16 juillet 1949 sur les publications
destinées à la jeunesse : septembre 1993
Imprimé en France par l'Imprimerie Hérissey - N° 62148

Diffusion l'école des loisirs

Pour Charlotte Kate Turner, avec tendresse — C.Z.

Pour ma fille, Adrianne, avec tendresse — A.L.

Ce bébé
qui sourit dans son couffin,
bien au chaud
sous sa couverture,
c'est ma mère.

Cette petite fille bien coiffée,
qui traîne sa poupée,
c'est ma mère.

Cette écolière peu soignée
avec ses collants
en tire-bouchon,
c'est ma mère.

Cette adolescente joyeuse
qui rit avec les garçons,
c'est ma mère.

Cette jeune fille brune
aux yeux noirs,
félicitée
à sa sortie de l'université
c'est ma mère.

UNIVERSITES DE PARIS

Cette mariée
pareille à une fleur blanche,
c'est ma mère.

Cette jeune femme
que mon père
entoure de son bras,
c'est ma mère.

PARIS

Cette belle dame,
tranquille et épanouie,
c'est ma mère.

Et voici
le moment où j'apparais.

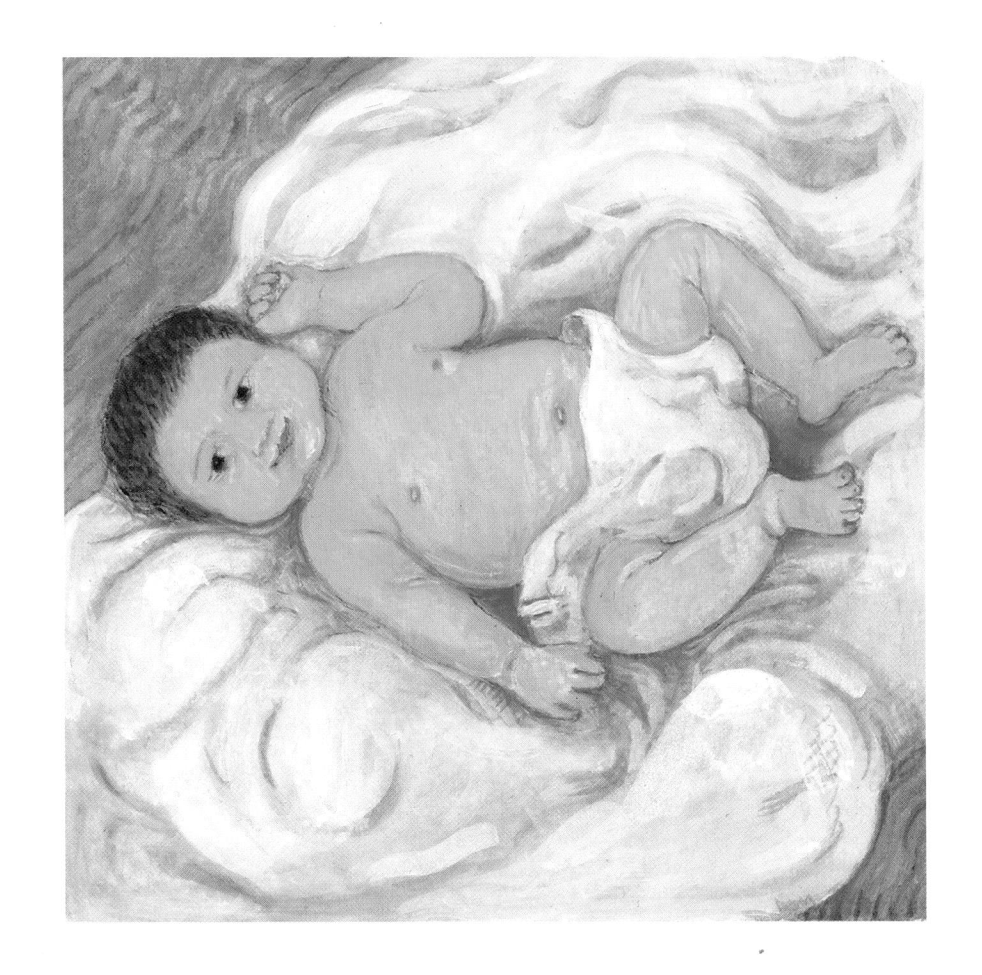

Le commencement.